D0586302

afgeschreven

Redactie:	Larry Iburg
Omslagontwerp:	Erik de Bruin, www.varwigdesign.com
	Hengelo
Lay-out:	Christine Bruggink, www.varwigdesign.com
Druk:	Wöhrmann Print Service,
	Zutphen

ISBN 978-90-8660-075-5

© 2009 Uitgeverij Ellessy
Postbus 30227
6803 AE Arnhem
www.ellessy.nl

WWW
wij willen weten

Deel 43

**Myrte Gay-Balmaz en
Margreeth Kooiman**

DRUGS-
VERSLAVING

**ELLESSY
JEUGD**

Inhoudsopgave

Inleiding

Maak je een spreekbeurt of werkstuk over drugsverslaving, of wil je er gewoon meer over weten? Dan denken wij dat dit boek een goede start is. We geven een historisch overzicht, een opsomming van drugs en leggen uit dat veel drugs werden ingenomen als medicatie.

Tegenwoordig denk je bij drugs niet zo snel aan medicijnen. De meeste mensen beginnen uit nieuwsgierigheid met drugs te experimenteren, omdat ze denken er plezier aan te beleven. Het wordt pas onplezierig als je eraan verslaafd raakt.
In dit boek lees je ook hoe de verschillende drugs werken. Wat voor invloed ze hebben op je (nog onvolgroeide) hersenen. En vooral ook welke uitwerking drugs op je hebben als je eraan verslaafd raakt.
Als drugsverslaafde kun je de dag niet doorkomen zonder drugs en wordt je hele leven door drugs beheerst Je kunt je voorstellen dat je daar heel ongelukkig van wordt. Er zijn manieren om van drugs af te komen. Die beschrijven we ook, want anders werd het ons allemaal te somber.
Sommige woorden staan schuin (cursief) gedrukt. Wat zo'n woord betekent, kun je vinden in de verklarende woordenlijst achterin dit boekje.
We hopen in elk geval dat dit boek al je vragen beantwoordt. Veel succes!

Myrte Gay-Balmaz en Margreeth Kooiman
(beiden gematigde drinkers)

1. Wat is verslaving?

Je kent vast mensen die iets verzamelen. Iets wat voor hen een speciale betekenis heeft, want anders begonnen ze er niet aan het te verzamelen. Misschien ben jij ook een verzamelaar en heb je intussen een plakboek vol ergens van of een speciaal kijkkastje waarin je verzameling staat te pronken.

Drugs

Het leuke aan verzamelen is dat je nooit uitverzameld raakt. Nog leuker is het dat je veel van dat speciale onderwerp of over die voorwerpen te weten komt. Maar het leukst is natuurlijk wanneer je op onverwachte momenten opeens een uitbreiding voor je verzameling weet te vinden! Je krijgt dan een kick, een geluksgevoel dat korte of langere tijd duurt. Als je de kans had, wil je het liefst elke dag zo'n treffer. Misschien laat het onderwerp van je verzameling je niet meer los en ga je er obsessief naar op zoek. Obsessief betekent dat iets dat ooit begon als wensdroom verwordt tot een dwanggedachte. Dan ben je bijna met niks anders meer bezig.

Er zijn ook andere manieren waarmee je geluksgevoelens kan opwekken. Na zware lichamelijke inspanning, bijvoorbeeld. Want door intensief te bewegen komt er in je hersenen een 'prethormoon' vrij. Grappig hé, zo'n dubbele uitwerking? We doen dus dingen die goed zijn voor ons, want dat geeft een prettig gevoel. Onze hersenen geven instructies hoe alle spieren te bewegen, maar ontvangen intussen stofjes waardoor we ons lekker voelen. Dit stofje heet dopamine, en zorgt ervoor dat er actieve informatie-uitwisseling in je hersenen plaatsvindt.

Andere prethormonen zijn adrenaline, noradrenaline, endorfine en serotine. Het zijn lichaamseigen stofjes. Dat betekent dat ze – als je gezond bent – voortdurend aangemaakt worden. Ze worden prethormonen genoemd omdat ze ervoor zorgen dat je een ontspannen, maar energiek gevoel krijgt. Als je te weinig hebt van deze stoffen, geeft dat een depressief gevoel. Door hevig te gaan sporten kun je de aanmaak ervan in je hersenen dus opkrikken. Maar hoe extreem wil je daarin zijn? Er is een verschil tussen iedere dag naar de sportschool gaan of het uiterste van jezelf vergen en het niveau van een topsporter willen bereiken.

Het is logisch dat je de dingen herhaalt waarvan je weet dat ze je prettig doen voelen. Dus blijf vooral naar de sportschool gaan. Maar de topsporter kan, naast de kick van het winnen, ook een sterk verlangen ontwikkelen naar prethormonen. Ook hier is er sprake van een dubbele uitwerking. Want de intense trainingen belonen de persoon met een prettig gevoel en als hij dan ook nog eens wint, is de beloning dus dubbel!

Mensen kunnen na het eten van bepaalde dingen ook een prettig gevoel krijgen. Van dik besmeerde boterhammen met pindakaas. Of van veel hagelslag op je brood. Wie lust dat niet? Je kunt er zoveel van eten als je wilt, want gevaarlijk is het niet. Of toch wel? Natuurlijk zorgt de grote hoeveelheid suiker ervoor dat je tanden worden aangetast, en je wordt er ook dik van.

Van te veel suiker maak je het prethormoon endorfine aan. Doordat je zoetigheid eet komt er een stofje vrij dat de boodschap in je hersenen afgeeft dat je lekker bezig bent. Niet voor niks wordt endorfine een prethormoon genoemd; dus zit het wel goed met die uitwerking. Het kost je dan nog weinig moeite om dat goede gevoel opnieuw te krijgen. Meer zoetigheid, chocola bijvoorbeeld.
Toevallig zit er in chocolade nog een extra stofje; fenylethylamine (PEA). De liefdesmolecuul wordt het ook wel genoemd. Want dit stofje wordt in grote hoeveelheden aangemaakt als je verliefd bent. Je kent dat geweldige gevoel misschien wel van een beantwoorde liefde. En verliefd worden op chocolade is in elk geval

nooit een onbeantwoorde liefde. Je kunt ervan blíjven eten. Je hersenen belonen je dan met een prettig gevoel. Nadeel is dat je er misschien gaatjes van krijgt en een kilootje of wat aankomt. Daarom maak je, als je verstandig bent, een afweging. Ga je om dat goede gevoel op te roepen steeds maar door met chocola eten?

Andere manieren om dat prettige gevoel op te roepen bestaan ook. Door gewoon iets leuks te doen, activeer je pretstofjes waarmee je hersenen je belonen. Natuurlijk is het wel een stuk gemakkelijker om daarvoor naar een middel te grijpen. Een middel waarvan je wéét dat dit het prettige gevoel activeert. Middelen die bekend zijn onder de noemer drugs en minder onschuldig zijn dan je verzameling, sport of chocola.
Drugs komt van het ouderwetse woord 'drogerije' dat gedroogde waren betekent. Via het Frans is het in de Engelse taal terechtgekomen en daar heeft het de betekenis van medicijn. Daarom bestaan er daar ook drugstores, winkels waar medicijnen verkrijgbaar zijn, zoals de apotheek of drogisterij.

Het woord drugs werd eind jaren zestig weer in de Nederlandse taal opgenomen. De betekenis volgens het Nederlandse woorden-

Aan chocola kun je ook verslaafd raken.

boek is: verdovende middelen. Middelen dus die verdoven. Die min of meer gevoelloos maken, of bedwelmen. Bij pijn kun je je voorstellen dat het prettig is om dat te verhelpen. Pijn is niet fijn. Als je constant pijn hebt, kan je daar erg ongelukkig van worden. Als daar een middel tegen bestaat, is het logisch dat je dat inneemt. Er zijn verschillende middelen beschikbaar om pijn te bestrijden. Middelen die steeds beter afgestemd worden op de persoon die pijn voelt. Maar dat was vroeger heel anders.

Wanneer ben je verslaafd?
Zeven criteria van afhankelijkheid volgens DSM IV* als binnen een jaar minstens drie van de zeven van toepassing op iemand zijn:
• *tolerantie treedt op*; dezelfde dosis levert steeds minder effect heeft. Dat je dus een steeds hogere dosis nodig hebt voor hetzelfde effect.
• *onthoudingsverschijnselen als je stopt*; dat je lichamelijk en/of geestelijk ziek wordt. Maar óók dat je middelen moet gebruiken om deze onthoudingsverschijnselen tegen te gaan.
• *regelmatig gebruik van het middel*; dat je er langer mee doorgaat dan je aanvankelijk van plan was.
• *mislukte pogingen om gebruik te minderen of te stoppen*; spreekt voor zich.
• *grote delen van de tijd besteden aan het middel*; niet alleen om er aan te komen, maar ook om ervan te herstellen.
• *de vrije tijdsbesteding of beroepsmatige activiteiten erdoor beïnvloed worden;* excuses aandragen om het middel te kunnen gebruiken.
• *het middel je in alle opzichten beheerst*; dat je er, ondanks de verergering van psychische of sociale problemen die het veroorzaakt, mee doorgaat.

* Het Diagnostic and Statistical Manual of Mental Disorders (kortweg DSM) is een Amerikaans handboek voor diagnose en statistiek van psychische aandoeningen.

Genotmiddelen

Vroeger leed men natuurlijk ook al pijn. Daarin is de mens niks veranderd. De middelen die ze toen gebruikten waren afkomstig van kruiden. Ze ontdekten dat de papaverbol, een plant, pijnstillend werkte. Nog steeds wordt uit de zaaddozen van papavers een pasta gewonnen.

Het cocablad is, naast een medicinaal kruid, ook heel voedzaam. Traditionele bewoners van de Andesgebergte kauwden erop, want het werkte goed tegen honger. In Zuid-Amerikaanse landen is dit kauwen op coca nog steeds gebruikelijk.

Hennep, een ander kruid dat nu ook nog populair is, gebruikte men lang geleden al om allerlei pijnlijke kwalen tegen te gaan. Het blad, maar ook het sap uit de zaden hebben een medicinale werking.

Deze drie kruiden hebben als overeenkomst dat ze lang geleden al als medicijn werden ingezet én werkten. Alle reden dus om ze aan mensen te geven die pijn leden.

Met de ontwikkeling van de wetenschap werd het mogelijk om op zoek te gaan naar de werkzame extracten. Zo werd in 1874 van de pasta die gewonnen wordt uit de papaverplant heroïne gemaakt. Het middel was bedoeld als geneesmiddel tegen tuberculose, bronchitis, astma en andere aandoeningen aan de luchtwegen. Na verloop van tijd werd duidelijk dat mensen erg afhankelijk raakten van dit middel (zie kader blz. 11).

Uit de cocabladeren wist men, rond 1855, het werkzame bestanddeel cocaïne te isoleren. Dit middel werd in verdunde vorm gebruikt om mensen tijdens operaties te verdoven. Soldaten die het in tamelijk onverdunde vorm kregen toegediend, boekten goede resultaten bij veldslagen. Maar ook hier viel op dat gebruikers al snel niet meer zonder konden.

Net iets eerder, sinds 1840, werden extracten van hennep op recept voorgeschreven. Ze hielpen tegen krampen, toevallen, astma, slaapstoornissen en hoofdpijnen. Nadien zijn er betere

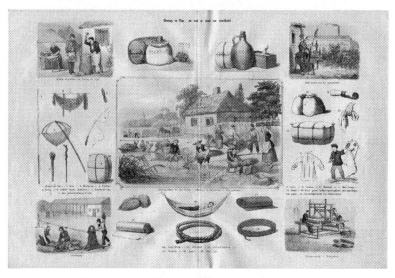

*Vroeger werd hennep gebruikt om allerlei
kwalen tegen te gaan.*

geneesmiddelen tegen deze kwalen ontwikkeld.
Kennelijk veroorzaakt dit middel minder ellende dan heroïne en cocaïne. De drie middelen werden in 1928 bij wet verboden, maar hennep wordt sinds 2003 weer als medicijn ingezet.
Waarom zijn die middelen verboden? Omdat bestanddelen van deze drugs invloed hebben op de hersenen en ze nu om die reden worden gebruikt. Ze krijgen daarmee dus een andere status. Namelijk de status van een genotmiddel. Genotmiddelen zijn stoffen die je een prettig gevoel geven. Je hebt ze voor je geestelijke of lichamelijke welzijn niet echt nodig. Niet alle genotmiddelen zijn verboden. Voorbeelden zijn thee, koffie en andere drankjes waarin cafeïne zit. Maar ook tabak, vanwege de nicotine, en tenslotte natuurlijk ook alcohol.

Alcohol is niet voor niks nog steeds verboden voor jongeren onder de 16 jaar. Een groot probleem met alcohol is namelijk dat het 'ontremmend' werk. Je hebt geen remmingen. In deze toe-

Alcohol is een van de bekendste drugs.

stand komt het maar al te vaak voor dat je gewelddadig wordt.
Veel gevallen van zinloos geweld houden verband met overmatig
alcoholgebruik. Het is dezelfde ontremming die ervoor zorgt dat
je loslippig wordt. Dat je heel geestig kan zijn en de neiging hebt
veel te praten, waardoor je geheimen verklapt. Je vermogen tot
zelfkritiek ontbreekt. Je komt tot daden waar je anders de moed
niet voor hebt. Die daden zijn dus niet altijd even leuk.
Gebruik je lange tijd veel alcohol dan kun je rekenen op lichamelijke klachten. Vetzucht, maar ook een verminderd functioneren
van je lever. Hart- en vaatziekten, ontsteking van de alvleesklier
en Korsakow, een aandoening van de hersenen. Ook ontstaan

sociale problemen. Want als alcoholist heb je steeds meer alcohol nodig om hetzelfde effect te bereiken. Niet iedereen in je omgeving zal bereid zijn dezelfde hoeveelheden met je mee te drinken. Je kunt daardoor vereenzamen. Vooral als door het overmatige alcoholgebruik ook je werk wegvalt. Er zijn in Nederland ongeveer 350.000 van dit soort probleemgevallen. Jaarlijks worden er 12.000 mensen opgenomen met ziektes die door alcohol zijn veroorzaakt.

Tegenwoordig praat men ook over internet-, gok- en seksverslaving. Dat zijn geen middelen die je inneemt, maar toch hebben ze een vergelijkbare werking op je hersenen. Je maakt er prethormonen mee aan, waarna je je steeds meer moet inzetten om hetzelfde effect te bereiken. Het lijkt onschuldig, omdat er in je hoofd niks beschadigt. Toch is het, net als bij alle verslavingen, een 'slechte' gewoonte. Je stompt er niet alleen van af, maar je blijft toegeven aan die dwingende behoefte. Er zijn leukere dingen denkbaar dan ergens verslaafd aan te zijn.

De oude Griekse filosoof Plato was tegen een compleet verbod op verslavende goedjes. Hij pleitte voor matigheid. Dezelfde matigheid die wordt aangeprezen in onze huidige maatschappij voor drank. Toch zijn er in Nederland ruim 800.000 alcoholverslaafden. Mensen, waarbij door toedoen van drank, problemen ontstaan op werk of in relaties. Of dat ze door de grote hoeveelheden alcohol op gezondheidsgebied klachten krijgen.

2. Drugsverslaafden

Wanneer ben je verslaafd? Of misschien belangrijker: hoe word je het? Waarom begin je aan je eerste sigaret? Echt lekker is het niet, zeker niet als je probeert te inhaleren. Maar het ziet er zo stoer uit met zo'n peuk tussen je lippen. Dus zet je door. Je neemt er nog één en nog één en voordat je het weet, ben je eraan verslaafd.

Verslaving en gewenning

Verslaafd zijn betekent dat je niet meer zonder kunt. Aan sigaretten kun je geestelijk en lichamelijk verslaafd raken. Geestelijk verslaafd zijn houdt bijvoorbeeld in dat je niet de telefoon op kunt nemen zonder eerst een sigaret op te steken. Dat je na het eten niet zonder een sigaret kunt, of dat je je op een feestje zonder sigaret geen houding weet te geven.

Maar deze geestelijke verslaving wordt gevoed door een lichamelijke verslaving. Je lichaam is inmiddels aan nicotine gewend en vraagt voortdurend om meer. Maar je hoofd beantwoordt alleen op bepaalde momenten aan die vraag. Wanneer de telefoon gaat bijvoorbeeld, of meteen na het eten. Dit noem je 'triggermomenten'. Je geeft aan de vraag toe en steekt een sigaret op.

Goed, je las het al, je lichaam is aan sigaretten gewend. Je bent aan de smaak gewend, en aan het gevoel van de rook die door je luchtpijp naar binnen gaat en je longen vult. Maar vooral gewend aan de nicotine die je een oppepper geeft. Juist omdat je lichaam eraan gewend is, heeft het steeds meer nicotine nodig om hetzelfde effect te bereiken. Er komen steeds meer triggermomenten en je gaat steeds meer roken. Dit verschijnsel noem je gewenning.

Niet iedereen is hetzelfde en er zijn ook mensen die hun hele leven maar één of twee sigaretten per dag kunnen roken. Helaas zijn dat er niet veel. Verreweg de meeste rokers kunnen op den duur niet meer zonder een sigaret.

Alle drugs zijn in meerdere of mindere mate verslavend. En ook gewenning treedt bij het gebruik van veel drugs op. Natuurlijk raak je aan sommige drugs gemakkelijker verslaafd dan aan andere.

Een van de meest verslavende drugs is heroïne. Al na een paar weken gebruik, kan je lichaam niet meer zonder. Je hebt ook steeds meer heroïne nodig om hetzelfde effect te bereiken. Stop je met gebruiken dan krijgen de meeste mensen heel erge *afkick*verschijnselen. De meest voorkomende verschijnselen zijn: braken, vreselijke spierpijn, trillen en zweten.

Heroïne is ook sterk geestelijk verslavend. Vooral omdat je door het middel niet meer of minder aan je problemen denkt. Heel tegenstrijdig eigenlijk, want als heroïneverslaafde krijg je er juist een hoop problemen bij. De meeste heroïneverslaafden hebben niet genoeg geld voor hun dagelijkse *shots*. Velen gaan uit wanhoop bedelen of stelen. Meisjes en vrouwen eindigen vaak in de prostitutie.

Er is heel veel wilskracht voor nodig om van de heroïne af te komen. Eerst moet je *afkicken*, wat op zich al heel zwaar is. En van je geestelijke verslaving kom je niet een twee drie af. Ineens zonder heroïne je problemen onder ogen moeten zien valt niet mee. Veel verslaafden zitten in een wereldje waarin het alleen om heroïne draait. Vaak lukt het na het *afkicken* niet om dit wereldje voorgoed de rug te keren. Terugvallen is erg, want hoe vaker het mislukt om *clean* te worden, hoe moeilijker het wordt.

Aan cocaïne raken veel mensen vooral geestelijk verslaafd. Hoe vaker je de drug gebruikt, hoe sterker het effect wordt, en hoe meer je ernaar gaat verlangen. Dit verschijnsel heet sensitisatie. Je hoeft overigens niet vaak cocaïne te gebruiken om ervan afhankelijk te worden. Uit onderzoek blijkt dat één op de vijf mensen die af en toe een lijntje snuiven aan het middel verslaafd zijn.

Het slikken van XTC is ook niet zonder risico's. De pillen worden in een laboratorium gemaakt. Ze kunnen daarom van samenstelling verschillen, waardoor het effect onvoorspelbaar wordt. Je raakt niet zo snel lichamelijk aan XTC verslaafd, maar je hebt wel steeds meer pillen nodig om het effect te voelen. Ook kan het zijn dat je je op feestjes niet fijn meer voelt zonder XTC te hebben geslikt.

Softdrugs zijn niet lichamelijk verslavend. Het enige verslavende aan een *joint* is de nicotine in de tabak. Toch kun je wel geestelijk verslaafd raken aan *hasj* en *wiet*. Je kunt niet meer zonder het 'relaxte' effect van de drug. *Blowen* om problemen te onderdrukken is geen goed idee, omdat je dan het risico loopt dat het een gewoonte wordt.

De gebruiker
Is experimenteren met drugs gevaarlijk? Eigenlijk wel. Alle drugs brengen iets teweeg in je hersenen. Hoe jonger je bent, hoe groter de schade voor je hersenen. Het effect komt dan meestal harder aan. Ga er gerust vanuit dat hersenen in ontwikkeling kwetsbaar-

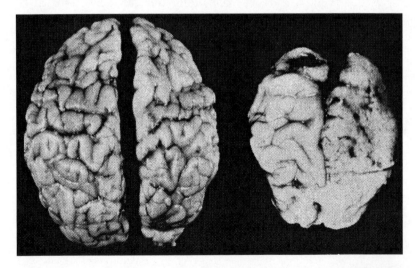

Links zie je normale hersens en rechts door alcohol beschadigde hersens van een baby van 6 weken oud.

18

der zijn dan 'volgroeide' hersenen. Dat betekent niet dat je vanaf je 18de vrijelijk drugs kunt gebruiken. Want het blijft slecht voor je en bovendien kan je lichaam er verslaafd aan raken. Dat wil zeggen dat je zonder het middel heel vervelende lichamelijke klachten ervaart. Je kunt ook geestelijk verslaafd raken. Dat wil zeggen dat je een verlangen houdt naar dat middel. Als je het middel niet gebruikt, krijg je vermoeidheidsklachten of word je narrig. Soms zo hevig dat je denkt zonder het middel niet normaal te kunnen leven.

Vanwege dat verslavingsgevaar stelt de overheid regels op die jongeren beschermt.

Dat begon al in 1912 met het Opiumverdrag. In dit verdrag werd bepaald dat cocaïne en opium alleen voor wetenschappelijke doeleinden gebruikt mochten worden. Geneesmiddelen met die bestanddelen werden dus niet meer voorgeschreven. Dit Opiumverdrag legde de basis voor de Nederlandse Opiumwet van 1919. In deze wet stond dat handel in deze middelen toegestaan was, maar alleen als ze uitsluitend voor wetenschappelijke doeleinden werden gebruikt. De bedoeling was dat mensen deze middelen niet zomaar konden gebruiken om het lekkere gevoel dat ze ervan kregen. Toch waren er nog steeds mensen die aan deze verboden drugs wisten te komen. Maar niet de gebruikers worden gestraft, maar de handelaren (*dealers*) werden op grond van deze wet vervolgd.

In 1928 volgde een Tweede Opiumwet. Daarin werd vastgelegd dat iedereen die in het bezit is van drugs strafbaar is. Hennep is de laatste uit de in hoofdstuk 1 genoemde drugs en valt ook onder deze wet. Pas 48 jaar later maakte de Nederlandse Opiumwet een onderscheid tussen verschillende soorten drugs.

Sinds 1976 bestaan er twee lijsten. Lijst nummer 1 gaat over harddrugs. Dat zijn alle middelen die een onaanvaardbaar groot risico met zich meebrengen, voornamelijk omdat de kans op afhankelijkheid groot is. Op lijst 2 staan softdrugs. Dat zijn middelen met wat minder risico, zoals hennep en slaap- en kalmeringsmiddelen. Die zijn gewoon via een recept van de arts verkrijgbaar. In Nederland is hennep ook zonder recept te koop (zie hoofdstuk 4). Toch is het wel zo dat je bij veel gebruik van softdrugs gerust kunt spreken van een 'hard' effect. Want ook als je softe middelen veel gebruikt, bestaat er een kans op verslaving. Veel mensen waarschuwen ervoor dat je van softdrugs gemakkelijk overstapt op harddrugs. Uit onderzoek blijkt dat bijna een kwart van de softdruggebruikers na een aantal jaren ook XTC, cocaïne of heroïne uitprobeert. Veel dus!

Mensen die aan verboden middelen willen komen, krijgen te maken met de illegale handel. Illegaal betekent dat iets niet mag van de wet. De overheid heeft het verboden, dus treedt de politie op. Dat is voor sommige jongeren juist een reden met (hard)drugs te experimenteren. Vaak wordt dat 'avontuurlijke' gedoe erom-

De omgeving speelt ook mee om in aanraking te komen met drugs.

heen bijna net zo spannend gevonden als de uitwerking van het verdovende middel zelf!
Welke andere zaken spelen daarbij een rol? Je genen en je omgeving. Je genen zijn een soort bouwtekening van wie je bent. Heel veel van je eigenschappen liggen er al in opgesloten. Je lengte, de kleur van je haar en je ogen, maar ook bepaalde dingen in je persoonlijkheid worden door deze genen beïnvloed. Er bestaat trouwens geen 'verslavings'-gen, maar wel een genetisch bepaalde aanleg waardoor bepaalde groepen mensen kwetsbaarder zijn dan anderen.

Maar, zoals gezegd, er is nog iets dat een rol speelt: je omgeving. Kom je bijvoorbeeld vaak in aanraking met drugs (ouders, vrienden) en hoe gemakkelijk kun je aan drugs komen? Je persoonlijkheidskenmerken in combinatie met je omgeving zorgen ervoor dat je een kleinere of grotere kans hebt om drugs te gaan gebruiken. Sommige mensen gebruiken drugs (ook alcohol) om hun problemen te vergeten. De bedoeling van alle drugs is om er *stoned* van te worden. Dit gebeurt zodra het middel je hersenen bereikt.

Drugs zijn verslavend. En juist daardoor is er vraag naar. Een gebruiker wil immers steeds opnieuw drugs hebben. Er is dan ook een levendige illegale handel in drugs. Mensen die in deze verboden middelen handelen, heten drug*dealers*. Ze zijn strafbaar omdat ze drugs verkopen.

Strafbaar
Maar hoe strafbaar zijn de mensen die de drugs verbouwen?
Heroïne wordt uit papaver onttrokken. Deze planten groeien in droge bergachtige gebieden, zoals bijvoorbeeld in Afghanistan. Dit land wordt al sinds jaar en dag geteisterd door oorlogen. Om toch aan geld te komen verbouwen boeren er opiumpapaver. De overheid kan het wel willen verbieden, maar de velden liggen erg afgelegen. De regering kan er dus weinig toezicht op houden.
Uit de cocaplanten wordt cocaïne gewonnen. Vooral boeren in

Zuid-Amerikaanse landen verbouwen cocaplanten. Het levert ze meer op dan het verbouwen van voedsel. De regering treedt er tegen op door de velden te vernietigen. Helaas gebeurt dat vaak met milieuonvriendelijke methoden.
Toch komen grote hoeveelheden papaverplanten en cocabladeren via smokkelaars bij drugslaboratoria terecht. Op de manier waarop de drugs worden gemaakt, is helemaal geen controle. De kwaliteit is daardoor vaak nogal onzeker. De samenstelling van drugs is vaak heel wisselend. Daarom zijn de bijwerkingen van het product heel grillig en vaak onbekend. Dat is dus heel anders dan bij echte medicijnen. Want daarop worden altijd kwaliteitscontroles uitgevoerd.

Drugsbaronnen zorgen vervolgens voor de verspreiding van de drugs. Ze worden baronnen genoemd omdat ze aan het hoofd staan van de illegale handel. Ze runnen een criminele organisatie en strijken met de verspreiding van drugs enorme winsten op. De politie probeert deze mensen natuurlijk te betrappen op illegale handel. In sommige landen maken deze baronnen echter onderdeel uit van de regering. Of oefenen ze, door omkoping, druk uit op de regering.

Soms hoor je dat er een afrekening in het criminele *drugscircuit* heeft plaatsgevonden. Daarmee wordt meestal bedoeld dat een topcrimineel – vaak een bekende van de politie – neergeknald is. De oorzaak kan een *drugsvete* zijn geweest.

De drug*dealer*s zijn de mensen die het goedje afleveren aan de klant, meestal de verslaafden. In sommige gevallen maken *dealers* ook gebruik van tussenpersonen. Dat zijn mensen die zelf niet verslaafd zijn, maar wel drugs smokkelen. Dat doen ze omdat ze dan in één klap een groot bedrag kunnen verdienen. Dat is voor veel mensen heel verleidelijk, maar ook dan ben je illegaal bezig.

De verslaafde zelf tenslotte kan ook voor overlast zorgen. Iemand kan door het gebruik erg veranderen en onberekenbaar worden. Door inname van het middel kan iemand onverschillig worden en zichzelf en zijn omgeving verwaarlozen. Ook is de manier waarop drugs ingenomen worden niet altijd zonder gevaren. Sommige verslaafden gebruiken elkaars injectiespuiten. Zo kunnen ze elkaar besmetten met allerlei infecties en ziektes, zoals aderontstekingen, geelzucht of aids. Soms is de verslaving zo duur dat de verslaafde uit stelen gaat om aan geld te komen.

De overheid treedt op tegen alle vormen van illegaliteit, maar mikt vooral op de mensen die in drugs handelen. Want met de handel overtreden ze de wet en daarmee zijn het criminelen. Het uiteindelijke doel van regeringen is te voorkomen dat mensen een ongezond leven leiden.

De tabaksplant is naar Jean Nicot de Villemain vernoemd. De officiële naam is Nicotiana tabacum. Jean stuurde de Franse koningin Catherina de Medici in 1560 namelijk dit 'geneeskrachtige wondermiddel', om haar van haar hoofdpijn af te helpen. Kennelijk was ze tevreden over het resultaat en leeft Jeans naam door als het meest verslavende middel nicotine.

3. Geschiedenis en gebruik van drugs

Van oudsher probeerden mensen hun bewustzijn of gevoelens te beïnvloeden. In oudere culturen had het innemen van bepaalde middelen ook een religieuze betekenis. Je kwam daardoor nader tot de goden. In sommige samenlevingen werden deze middelen daarom door de eeuwen heen niet bestreden.

Spiritueel gebruik van drugs

Zo zijn er 3500 v. Chr. al in afbeeldingen uit het oude Perzië te zien hoe bier aan de goden werd geofferd. Ook de Egyptenaren tonen in 3000 v. Chr. in grafkamers hoe wijn gemaakt wordt. In Europa was wijn ooit een onderdeel van Dionysische ceremoniën. Dionysus is de Griekse god van wijn en extase. Vooral onder de vrouwen vond hij veel volgelingen. Deze dronken vrouwen werden Maenaden genoemd. Ze vierden wilde feesten, aten levende dieren en nadenken ging ze niet al te best af. Toch was deze god, die bij de Romeinen Bacchus heette, heel populair. De Dionysus-*cultus* was voor de Romeinse Senaat van 186 voor Chr. reden om strenge wetten uit te vaardigen. Aanhangers en volgelingen werden toen opgepakt en terechtgesteld. Ook Mohammed verbood rond 600 na Chr. het drinken van alcohol.

Ongeveer rond diezelfde tijd werden in Maya-tempels in Zuid-Amerika afbeeldingen gemaakt van rokende priesters. Zij rookten vermoedelijk tabak bij wijze van vredespijp. Anderen in Zuid-Amerika wonende indianen gebruikten ook middelen tijdens jaarfeesten. Dit om beter van de feestvreugde te genieten. Ze kregen bijzondere *visioenen*, of ervoeren een lichamelijke euforie. Euforie is dat je een groot gevoel van welbehagen hebt. Misschien zo sterk dat het je in staat stelt om contact te krijgen met god, of je zelfs god te voelen.

Ondertussen experimenteerden indianen uit andere Zuid-Amerikaanse streken met cactusvruchten of met uit bomen verkregen sappen. De *trance* waar ze na het innemen in raken, hielp ze hun geest te zuiveren. Deze ervaringen hoorden bij een *stamritueel*. Ze kregen daarmee een religieuze betekenis.

In India grepen religieuze leiders uit het verleden naar andere natuurlijke middelen om tot een piekervaring te komen. Deze ervaringen zouden bijdragen aan je *spirituele* groei. Eind 1980 is dit druggebruik officieel verboden. Maar omdat in India religieuze leiders, sjamanen, hoog aanzien genieten, staan de autoriteiten het oogluikend toe.

Voor de huidige rasta-aanhangers (de Rastafari's) is cannabis roken een manier om dichter bij hun god te komen. Deze mensen vereren de voormalige Ethiopische Keizer, Haile Selassi I. Zijn echte naam is Ras Tafari Makonnen. Ras is een soort eretitel en Rastafari's zijn mensen die volgens bepaalde overtuigingen leven. Jah is hun god, maar je spreekt niet van een georganiseerde godsdienst. De opkomst hiervan begon rond 1930 in Jamaica. Aanhangers leven naar de geboden van het Oude Testament. Die schrijven bijvoorbeeld voor dat je je haren niet mag knippen. Omdat veel Rastafari's afstammelingen zijn van slaven, is het laten groeien van dreadlocks een manier om van dit 'geloof' te getuigen. Ook meditatie wordt beoefend en een hulpmiddel hierbij is cannabis.

Nog steeds wordt in Zuid-Amerika veel op cocabladeren gekauwd. Het leven in het Andesgebergte is koud en vaak is er niet genoeg eten. De plaatselijke bewoners merkten dat door te kauwen op deze bladeren het hongergevoel verminderde. Het middel wordt ook ingezet bij religieuze activiteiten. Pas halverwege 1800 werd cocaïne uit dit cocablad verkregen. Er werd zelfs wijn (Vin Mariana) gemaakt waarin cocaïne was verwerkt! Een soort voorloper van de alcoholvrije Coca Cola, waar aanvankelijk ook cocaïne in verwerkt werd.

De Chinezen zaten ondertussen ook niet stil. Nadat ze in 700 na Chr. kennismaakten met opium verspreidde het gebruik zich

Koffie werd eerst als medicijn gebruikt omdat men merkte dat het een nogal opwekkende werking had.

razendsnel. Duizend jaar later probeerden ze dit gebruik tevergeefs aan banden te leggen. In 1840 en in 1850 zijn er zelfs opiumoorlogen geweest. Dit omdat de Chinezen de handel erin wil verbieden.

Zelf waren de Chinezen altijd zeer creatief met kruidenmengsels. Die zijn eigenlijk ook van alle tijden. Al enkele tientallen jaren na Chr. werd door Dioscorides het "Geneeskrachtig Kruidenboek" geschreven. Dit boek gold lange tijd als standaardwerk voor natuurgeneesartsen. Ongeveer 100 jaar na Chr. was het Galenus, die allerlei kruidenmengsels fabriceerde. Sommige mengsels bevatten meer dan 100 ingrediënten! Het werd daardoor steeds moeilijker om een eigen werkzame kruidenmengsel samen te stellen. Uiteindelijk konden alleen artsen en apothekers dit klaarspelen.

Drugsgebruik is soms dus nog steeds verbonden aan godsdienst. De culturele betekenis van drugs wordt door verschillende facto-

De tabaksbladeren kon je roken, maar roken was vroeger gewoon verboden!

ren bepaald. In onze cultuur zijn veel van deze drugs nu illegaal. Maar in de geschiedenis zijn ooit ook andere middelen verboden geweest, namelijk koffie, tabak en alcohol. Van koffie merkte men dat het een verdacht opwekkende werking had. Daarom werd het eerst medicinaal ingezet. Tot werd gemeend dat dit opwekkende effect schadelijk was voor de hersenen. Sommige leiders legden daarom harde straffen op aan mensen die het 'verboden' goedje dronken.

Voor het roken van tabak werden ook geen zachtzinnige straffen gegeven. De Fransman Jean Nicot de Villemain (1530-1600) zette het middel in als geneesmiddel tegen schurft, verkoudheid, reuma, koorts, hoofdpijnen, slangenbeten en zweren. Ook zonder die kwalen rookte men tabaksbladeren, bij voorkeur in een pijp. Dit hadden zeelieden afgekeken van vredespijprokende indianen. Maar omdat indianen toen als wildemannen werden beschouwd, verwierpen leiders die gewoonte. Met harde hand probeerden ze het roken vervolgens uit te roeien.

Het eerste verbod op alcohol werd al jaren vóór Christus afgekondigd. Waarschijnlijk omdat opviel hoe de vloeistof na inname een opvallend verdovende uitwerking had. Bij operaties was dat handig, maar in het dagelijkse leven niet. Dat was ook wat de Amerikaanse regering vond toen zij van 1920 tot 1933 de *drooglegging* afkondigde. Alcohol drinken tastte de moraal van de Amerikanen aan. Maar eigenlijk was het voor de politie onbegonnen zaak hierop te controleren.

Dat was in het verleden uiteindelijk ook de reden om het verbod op deze artikelen (koffie, tabak en alcohol) op te heffen.
Voor jongeren onder de 16 jaar bestaat er nog wel een verkoopverbod op tabak en alcohol. Dat komt omdat koffie geen blijvende nadelige schade aan de hersenen aanricht. Tabak en alcohol wel. De werkzame stofjes hebben invloed op dat gebied in je hersenen waar je een prettig gevoel van krijgt. Gebruik je zo'n middel regelmatig, dan verandert er iets in de hersenen. Je beschadigt ze, waardoor de gevoeligheid voor het middel afneemt. Daarom is het soms zo dat je steeds meer van het middel nodig hebt om hetzelfde goede gevoel te krijgen. Je hersenen verlangen naar dat middel.
Geef je toe aan die onweerstaanbare drang, ondanks de schadelijke gevolgen die het oplevert, dan ben je feitelijk verslaafd. Je kunt je een leven zonder sigaret of drank niet voorstellen. Het is een gewoonte geworden, waartegen je geen weerstand meer kan bieden. In officiële termen heet dat een compulsieve behoefte (compulsief = dwingend).

De drie werkingen
De bedoeling van alle drugs is om er *stoned* van te worden. Dit vindt plaats zodra de drugs je hersenen bereiken. Drugs worden ook wel verdovende middelen genoemd, maar eigenlijk klopt dat niet helemaal. Er zijn namelijk ook drugs die je niet verdoven, maar een heel ander effect geven. Wat werking betreft zijn drugs ingedeeld in drie groepen: verdovende, stimulerende en *hallucinogene* middelen.

Cocaïne is een stimulerende drug die je meer energie geeft.

Wat verdovende middelen doen snap je waarschijnlijk wel. Ze kalmeren en verdoven je. Je wordt er traag en slaperig van en je reactievermogen vermindert. Ze zorgen ervoor dat je pijnprikkels niet meer voelt en je je problemen even vergeet. Je wordt apathisch en krijgt een houding van: 'wat kan mij het allemaal schelen'. Niks doet je meer wat. Dit effect verdwijnt natuurlijk, zodra de drug begint uit te werken. Heel gevaarlijk, want dat zorgt ervoor dat je meteen weer nieuwe drugs wilt innemen. En voor je het weet ben je verslaafd. Wat gebeurt er als je een overdosis neemt? Dan kun je verward en zelfs in een coma raken.

Stimulerende middelen geven je meer energie. Ze geven je het gevoel dat je de hele wereld aan kunt, zowel geestelijk als lichamelijk. Daarom worden ze ook wel 'uppers' genoemd. Ze zorgen ervoor dat je een heel druk leven beter aan kunt, of dat je als sporter beter presteert (doping). Cocaïne en speed zijn stimulerende middelen, net als 'gewonere' middelen, zoals koffie en tabak.
Van stimulerende middelen kun je overactief en heel erg rusteloos

*Een halucinatie zorgt
voor een eigen wereld
van vorm en kleur.*

raken. Je kunt dan bijvoorbeeld niet meer dan een paar minuten achter elkaar blijven zitten. Je gaat zenuwachtig heen-en-weer lopen en ook je mond staat niet stil. Je blíjft praten. Aan eten heb je geen behoefte. Je hart gaat veel te snel kloppen en je bloeddruk schiet omhoog. Niet zo gek dat je door dit alles ook niet kunt slapen. Maar je lichaam en geest hebben rust nodig. Als je niet uitkijkt, draai je helemaal door.

Hallucinogene middelen worden ook wel geestverruimende of psychedelische middelen genoemd. Van sommige van deze middelen kun je gaan hallucineren. Dit woord komt van het Latijnse hallucinare, wat 'ronddwalen in de geest' betekent.
Wat het effect van dit ronddwalen is, is voor iedereen verschillend. Met je ogen dicht zie je bijvoorbeeld allerlei mooie kleuren waar je helemaal in op gaat. Met je ogen open zie je dingen die je

normaal niet ziet en ziet de wereld er heel anders (vaak mooier) uit. Alles is haarscherp, alsof je alles door een microscoop bekijkt. Soms prikkelen deze drugs je creativiteit en krijg je er nieuwe ideeën en inzichten van.

Klinkt misschien heel spannend, maar niet iedereen reageert hetzelfde op deze drugs. Je kunt er bijvoorbeeld een *bad trip* van krijgen. Dat betekent dat je na het innemen van de drug alleen maar ellendige dingen ervaart. Een *bad trip* kan heel beangstigend zijn en het effect ervan kan heel lang doorwerken. Veel hangt dus af van de persoon en hoe die zich voelt op het moment dat hij de drug inneemt.

Er zijn ook drugs met een gecombineerde werking. *Hasj* en *weed(wiet)* werken bijvoorbeeld geestverruimend, maar ze verdoven je ook. En XTC heeft vooral een stimulerend effect, maar verandert ook je waarneming.

Voor alle drugs geldt in elk geval dat hun effect verandert, zodra je ze met andere drugs, medicijnen of alcohol combineert. De kans is groot dat ze beide op je hersenen werken, wat gevaarlijk is voor je gezondheid.

Veel bekende personen overlijden aan een overdosis drugs. Roem en drugs lijken onlosmakelijk met elkaar verbonden te zijn. Niet altijd hoeft dat te leiden tot de dood. Maar enkele artiesten zijn desondanks nooit ouder geworden dan 27 jaar. Zij worden geroemd in de "Forever 27"-club (Voor altijd 27) en zijn allen onder verdachte omstandigheden overleden, zoals Brian Jones, Janis Joplin, Jim Morrison, Robert Johnson en Jimi Hendrix.

4. De discussie en verschillende soorten drugs

In 1912 werden drugs voor het eerst officieel verboden in Nederland. De wet die dat regelde, heette (en heet nog steeds) de Opiumwet. Veel stond er toen nog niet in want - de naam zegt het al - het ging alleen om opium. In 1928 werd de wet aangevuld met een verbod op het gebruik van hennep. Best raar, want hennep werd in Nederland toen nauwelijks als drug gebruikt.

Het Nederlandse gedoogbeleid

In de jaren zestig was dit wel anders. Vooral onder jongeren werden *hasj* en *wiet* heel populair. De eerste coffeeshop werd in 1972 geopend en dat werden er in de jaren daarna al snel meer. Ook huis*dealers* waren inmiddels een bekend fenomeen.

In 1976 werd de Opiumwet vernieuwd. Er kwamen aparte lijsten met hennepproducten (softdrugs) en drugs 'met een onaanvaardbaar risico' (harddrugs). De regering besloot toen ook om de huis*dealers* te tolereren. Zij mochten alleen niet te veel *hasj* bij zich hebben, geen reclame maken en geen harddrugs verkopen.

Dit 'softe' beleid zorgde ervoor dat steeds meer mensen een coffeeshop openden. Vooral in de jaren tachtig en negentig schoten die als paddo's uit de grond. Ook de negatieve kanten van het gedoogbeleid werden daardoor zichtbaar. Steeds meer mensen klaagden over overlast. Andere Europese landen vonden dat Nederland een slecht voorbeeld stelde ten aanzien van drugs. In 1995 besloot de regering de regels voor coffeeshops te verscherpen.

De regels voor coffeeshophouders

- er mogen geen grotere hoeveelheden dan 5 gram per keer per persoon worden verkocht;
- er mogen geen harddrugs worden verkocht;
- er mag geen reclame voor drugs worden gemaakt;
- er mag geen overlast voor de omgeving worden veroorzaakt;
- er mag geen verkoop aan minderjarigen (tot 18 jaar) plaatsvinden.
- minderjarigen mogen niet in de coffeeshop komen.

De feiten op een rijtje

De huidige Opiumwet stelt dat het bezit van alle drugs strafbaar is. Word je betrapt op het bezit van harddrugs, dan is dat een misdrijf. Bezit je een kleine hoeveelheid softdrugs, dan is dat een overtreding (licht vergrijp). De hoogste straffen staan op de in- en uitvoer van drugs. En ook het maken en verkopen van drugs is officieel strafbaar.

Hoe kan dat nou? Coffeeshops verkopen toch drugs? Precies, dat is nou juist waarom het een 'gedoogbeleid' heet. Eigenlijk mag het niet, maar het wordt gedoogd, oftewel door de vingers gezien. Zolang coffeeshops zich aan de regels houden, wordt hun vergunning niet ingetrokken.

Maar er zit wel een addertje onder het gras. Want op het produceren van drugs staan hoge straffen. Niet dat coffeeshops hun eigen drugs maken, maar ze kopen ze wel in van *dealers* en eigenaren van *wiet*plantages. En die laatsten worden door de wet beschouwd als criminelen. De politie is veel tijd kwijt met het oprollen van de *wiet*plantages. Het is dus wel een beetje tegenstrijdig.

Veel mensen vinden daarom dat die plantages dan maar legaal moeten worden. Anderen vinden juist dat alle coffeeshops moeten worden afgeschaft. Hoe dan ook, het laatste woord is er nog niet

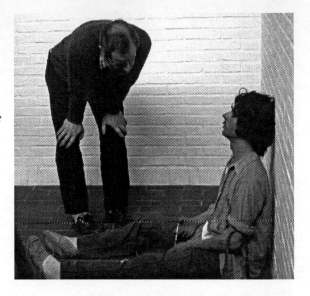

Nederland kent relatief weinig drugsverslaafden in vergelijking met andere Europese landen.

over gezegd. Met het beleid hoopt de regering te bereiken dat groepen harddrug- en softdruggebruikers gescheiden blijven. Met andere woorden: dat je als blower niet zo gemakkelijk in de wereld van heroïneverslaafden terechtkomt.

Uit cijfers blijkt in elk geval dat Nederland in vergelijking met andere Europese landen weinig drugsverslaafden kent. Volgens sommigen is dat te danken aan het Nederlandse gedoogbeleid. Wat denk jij?

Legaliseren of niet?
Wat zou er gebeuren als alle drugs net zo makkelijk verkrijgbaar zouden zijn als alcohol? Tegenstanders vinden dat door drugs vrij te geven (legaliseren) er meer mensen het risico lopen verslaafd te raken. Voorlichting over alcohol heeft niet geleid tot minder alcoholverslaafden. Gevreesd wordt dat vooral jongeren drugs gaan uitproberen en naar steeds zwaardere middelen gaan verlangen. En dat meer mensen gaan gebruiken met als gevolg grotere overlast. Het verbod op drugs heeft als effect dat er in Nederland 'maar' 30.000 drugsverslaafden zijn.
Voorstanders voor het legaliseren van drugs merken op dat een

verbod juist een grotere aantrekkingskracht uitoefent op jongeren om drugs te proberen. Door het vrij te geven heeft de overheid er ook controle op. De verstrekking van drugs komt dan in handen van specialisten. Bovendien wordt de prijs niet kunstmatig hoog gehouden. Een verslaafde hoeft dan niet de gaan stelen of andere criminele dingen te doen om zijn drugs te kunnen betalen. Het huidige verbod werkt de misdaad in de hand en houdt mensen niet van de drugs af. Er is toch altijd wel aan te komen. Drugs legaliseren is kostenbesparend voor de overheid, want er wordt nu veel geld uitgegeven aan drugsbestrijding.

Drugs uit de criminele sfeer halen, betekent dat artsen het kunnen uitschrijven op recept. Er is dan betere controle. De nu bestaande cijfers over drugsverslaafden kunnen onjuist zijn. Want alleen mensen die zich hebben aangemeld (voor hulp bijvoorbeeld) staan geregistreerd.
Het is inmiddels wel mogelijk mensen morfine te geven als pijnstiller. Ook bestaat er een cannabispil, Marinol. Het is een in het laboratorium gemaakte pil met als werkend bestanddeel THC. Dit middel helpt tegen misselijkheid. Het wordt daarom soms voorgeschreven voor mensen die een chemokuur ondergaan. Het wekt de eetlust op, dus ook mensen met aids en anorexia hebben er baat bij. Omdat het spierpijnen en spierkrampen verzacht, kunnen mensen die aan *multiple sclerose* lijden het ook voorgeschreven krijgen.

Opsomming
Hieronder vind je een opsomming van stoffen en hun werking. De stoffen kunnen gebruikt worden als geneesmiddel of genotmiddel. De inname verschilt per stof. Ze kunnen worden gedronken, gegeten, gekauwd, gerookt, gesnoven of ingespoten. Drugs zijn vaak onderhevig aan *rages*. Een middel wordt dan gemakkelijker beschikbaar en daardoor ook populair onder gebruikers. Ook lees je hoe verslavend de verschillende middelen zijn. Andere opvallende nadelen staan er voor het gemak ook bij vermeld.

Alcohol

In alle alcoholische dranken zit ethanol. Dat is de wetenschappelijke naam voor alcohol. Voorheen werd ethanol vaak gebruikt bij operaties. Niet alleen om de *desinfecterende* werking, maar om mensen er tijdelijk mee uit te schakelen. Dat maakte het opereren aanzienlijk makkelijker. In kleine hoeveelheden heeft drank een ontspannende uitwerking. Een bijwerking ervan is dat je draaierig wordt. Dat komt omdat het werkzame stofje onder meer invloed heeft op het gebied in je hersenen dat het evenwicht regelt. Je gaat trager bewegen en nadenken kost meer moeite. Daarom mag je niks besturen als je er wat van op hebt. Wat ook vaak gebeurt na het drinken van alcohol is dat je overmoedig wordt. Of agressief, want je gewone remmingen worden minder sterk of vallen zelfs helemaal weg. De combinatie van die twee, overmoed en agressie, betekent vaak dat mensen ruzie zoeken of gaan vechten.

Nadelen: kans op verslaving. Veel gevallen van zinloos geweld zijn terug te voeren op overmatig drankgebruik. Verder roofbouw op diverse organen en bij overmatig gebruik een kater of in ernstige gevallen in coma raken en sterven.

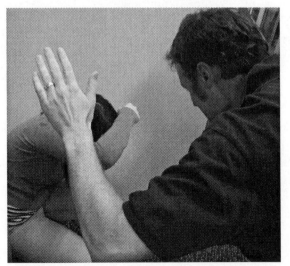

Alcohol is een oorzaak van huiselijk geweld.

Amfetamines

Beter bekend als speed. Werd vroeger in neusdruppels gebruikt en was ook verkrijgbaar in de vorm van sprays en pillen. Dit middel was in Noord-Amerika tot 1964 nog gewoon op recept verkrijgbaar. Tegenwoordig wordt het meestal in poedervorm gebruikt. Het onderdrukt de honger en toch heb je energie te over.
Nadelen: je kunt er afhankelijk van raken en bovendien nog achterdochtig ook.

Amylntriet/butyltriet

Beter bekend als poppers. Een vloeibaar middel dat in de medische wetenschap voor het eerst werd gebruikt tegen hartproblemen. Nadat je het opsnuift ontstaat een kortdurend geluksgevoel. Het zou vooral invloed hebben op je seksuele prestaties. Niet aan te bevelen voor mensen met een lage bloeddruk.
Nadelen: komt het goedje in aanraking met de huid dan ontstaan er lichte brandwonden.

Cafeïne

Een natuurlijk middel dat voorkomt in koffie en thee. Soms wordt het in frisdranken verwerkt (zoals Red Bull). Zorgt voor een opwekkend effect.
Nadelen: van teveel koffie krijg je rood haar, zeggen ze. Maar dat kan je natuurlijk ook als voordeel zien! Echte nadelen zijn: *laxerend* en je komt moeilijker in slaap.

Cannabis

Ook bekend als *hasj*, marihuana, *wiet*. Ongeveer 5000 jaar geleden werden in China de medische krachten van deze hennepplant ontdekt. Het actieve stofje is TMC (tetrahydrocannabinol). Tegenwoordig mag een arts cannabis vanwege de speciale uitwerking van deze stof voorschrijven. Het kan worden gerookt met tabak, maar ook puur (zonder tabak). Je rookt dan een *joint* of een *stickie* en bent dan aan het *blowen*. Je kunt het ook via een waterpijp roken of in een cake verwerken en opeten. Allemaal manieren om het werkzame stofje in je bloed te laten opnemen, zodat het de weg naar je hersenen aflegt.

Er worden verschillende plantonderdelen gebruikt. De hars wordt geperst tot blokjes *hasj*. De gedroogde kroonbladeren van de vrouwelijke plant worden verkocht als marihuana. Ook bestaat er cannabisolie die gemengd wordt in cake. Na inname worden je zintuigen overgevoelig voor informatie van buitenaf.
Nadelen: *psychose*-opwekkend (dat je psychische functies verstoord raken) als je daar aanleg voor hebt. Gewenning, dat je een steeds hogere dosis nodig hebt om hetzelfde effect te bereiken. Omdat je het meestal rookt met tabak, slecht voor longen en hart.

Cocaïne
Poeder dat via een chemisch proces uit de bladeren van de cocaplant wordt bereid. Is tot 1903 vrijelijk door drankjes (Coca Cola) en geneesmiddelen vermengd. Het sterk opwekkend effect werd verdacht bevonden en daarom na 1914 verboden. De huidige gebruiker ervaart een gevoel van opwinding en denkt de wereld aan te kunnen. Meestal snuif je het goedje op.
Nadelen: kan verslavend zijn en belast hart- en bloedvaten. Bij langdurig gebruik lost je neustussenschot zowat op.

Crack
Bewerkte vorm van cocaïne, waardoor ze vloeibaar is. De damp wordt via een pijp of via verwarmde folie gerookt dan wel ingeademd. Heeft een vrolijkmakende uitwerking, waarbij soms ook een plaatselijke verdoving optreedt.
Nadelen: het is verslavend. De verdovende werking levert een verslapping van de spieren op. Dit uit zich bijvoorbeeld in onduidelijk praten of andere vormen van ongewenste spieruitval.

Doping
Hieronder vallen verschillende stoffen die bedoeld zijn om betere sportprestaties te kunnen leveren. Alle sportbonden (en natuurlijk

ook het Internationaal Olympisch Comité) hebben doping verboden. Het gebruik van doping is slecht voor de gezondheid en bovendien niet eerlijk tegenover sporters die hun sport 'op een boterham met pindakaas' bedrijven. Toch worden er nog altijd veel sporters betrapt. Er komen steeds nieuwe middelen bij, en ook middelen die ervoor zorgen dat je de doping minder gemakkelijk kunt terugvinden in het bloed of de urine. De strijd tegen doping is dan ook nog lang niet gewonnen.
Nadelen: verhoogt de kans op hart en vaatziektes. En alsof dat niet genoeg is: kaalheid.

Downers
Alles waarin barbituraten zijn verwerkt. Dit waren geneesmiddelen die ingezet werden om slaapstoornissen tegen te gaan. Ze worden nu alleen nog gebruikt in geneesmiddelen tegen bijvoorbeeld epilepsie.
Nadelen: sterk verslavend. Algehele suffigheid.

Gassen
Lachgas (stikstofmonoxyde) is uitgevonden in 1793 en helpt mensen in een pijnloze roes. Van oorsprong is het dus een narcosemiddel en tegenwoordig wordt het soms bij bevallingen gebruikt.
Door drijfgassen uit spuitbussen in te ademen krijg je kortdurend een goed gevoel.
Nadelen: nooit rechtstreeks inademen, want te koud.

GHB
Staat voor GammaHydroxyBoterzuur en was een narcosemiddel. Een geurloze vloeistof (ook verkrijgbaar in poedervorm). Smaakt naar zout. Het werd voorgeschreven als slaapmiddel en antidepressivum (middel tegen depressies). Heeft een sterk verdovende uitwerking op de hersenen waardoor angsten en remmingen verdwijnen.
Nadelen: soms wordt het middel toegediend zonder dat het

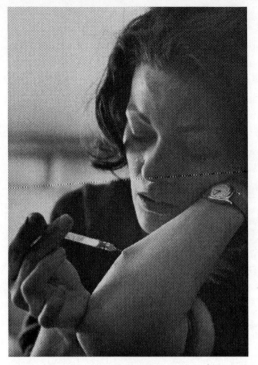

Heroïne is een van de drugs die je hele leven kapot maakt.

slachtoffer dit weet. Ze zijn weerloos en worden dan soms ver-kracht. Het middel staat daarom ook bekend als date-rape drug (date rape is Engels voor verkrachting tijdens uitgaan).

Heroïne
Eerst werd morfine als pijnstiller gebruikt, maar dit middel was te verslavend. Daarom ontwikkelde men heroïne. Oorspronkelijk komt het uit de papaverplant. Heroïne is zo sterk dat het altijd ver-mengd aangeboden wordt. Het is een zeer verslavend middel. Om mensen ervan af te helpen is methadon ontwikkeld, een chemisch bereid medicijn. Het is een hulpmiddel om heroïnegebruikers te helpen ontwennen. Het zorgt ervoor dat de verslaafde zich niet ziek meer voelt. Na de Eerste Wereldoorlog werd het medisch gebruik van heroïne verboden. Naast de inspuitbare vorm is er ook een rookvariant. Het gebruik wekt een warm, behaaglijk gevoel op.
Nadelen: zo verslavend dat het de verdere leven van de gebruiker

kan domineren.

Ketamine

Dit middel werd als narcosemiddel toegediend aan gewonde soldaten in de Vietnam-oorlog. Het wordt in de diergeneeskunde nog steeds gebruikt. Al bij een lage dosis kan je gaan *trippen* (zie kader, pagina 47).
Nadelen: geen lichamelijke, maar eventueel wel een geestelijke afhankelijkheid van het middel. Dat wil zeggen dat je naar de effecten verlangt en het middel wil blijven gebruikten.

Kratom

Deze plant wordt al eeuwenlang in Thailand medicinaal en recreatief gebruikt. Van de gedroogde Kratombladeren kan thee worden gezet. Het innemen veroorzaakt een lustopwekkend effect.
Nadelen: niet te combineren met andere drugs. Eventueel huidverkleuring op het gezicht.

LSD

Afkorting van lysergic acid diethylamide. Kleurloos en smaakloos. Het middel werd eerst gebruikt om depressies te behandelen. Daarna toonde de Amerikaanse inlichtingendienst interesse, om het te gebruiken bij ondervragingen. Na 1967 werd het middel in Noord-Amerika verboden. Toch bleven veel mensen het recreatief (voor de lol) gebruiken, want het zorgde voor hallucinaties en soms voor *spirituele* ervaringen.
Nadelen: *psychose*-opwekkend, als je daar aanleg voor hebt. *Bad trips*, dat zijn paniekaanvallen die soms langdurig kunnen aanhouden.

Morfine

Afkomstig uit de papaverplant (zie opium), maar inmiddels ook synthetisch te vervaardigen. Het wordt voorgeschreven voor pijnbestrijding. Het product is vernoemd naar de Griekse god van de slaap: Morpheus.

Nadelen: lichamelijke afhankelijkheid en, na verloop van tijd, gewenning (steeds hogere dosering nodig om effect te bereiken). Lichamelijke aftakelingsverschijnselen als afgebrokkelde nagels, huiduitslag en vermagering.

Nicotine

Nicotine heeft een direct effect op je hersenen. Je ademt de rook in en binnen 8 seconden bereikt het werkzame stofje je hersenen. Nadat de gebruiker aan de stof verslaafd is geraakt, geeft roken een kalmerend effect. Feitelijk krijg je een soort rush, een kortdurende kick.

Nadelen; sterk verslavend. Slecht voor longen en het hart. Óók voor de omgeving, die ongewild meerookt.

Opium

Ook afkomstig uit de papaverplant, die groeit in droge bergachtige steken. Meestal wordt het gerookt via een pijp. Ook kunnen de vrijgekomen dampen worden ingeademd. Het effect is dat de gebruiker in een roestoestand raakt.

Nadelen: verslavend en een onhandige uitwerking op je darmen (legt ze namelijk zo goed als stil).

Oplosmiddelen

Oplosmiddel zit in lijm, benzine, gas uit sigarettenaanstekers, verf, nagellakverwijderende stoffen en drijfgassen uit spuitbussen. Je neemt ze snel tot je door ze in te snuiven. De werking is heftig maar kort. De kater volgt ook snel; vaak in de vorm van hoofdpijn.

Nadelen: blijvend verlangen naar de korte kick.

Paddo's (paddestoelen)

In paddestoelen zit psylocidine en psilocine. Deze stofjes zijn ook in laboratoria na te maken. Onbewerkte paddo's (dus ongedroogd) nuttigen kan ervoor zorgen dat de signalen van de buitenwereld anders dan normaal binnenkomen. Je zenuwcellen krijgen dan prikkels op plekken in je hersens waar ze niet horen. Daardoor ga

je plotseling heel nieuwe dingen ervaren. De gedroogde paddestoelen werden om die reden van oudsher gebruikt in Azië en Zuid Amerika.
Nadelen: *psychose*-opwekkend, als je daar gevoelig voor bent.

PCP
Afkorting van Phencyclidine. Er zijn van deze synthetische stof ook afgeleide stoffen met bizarre uitwerkingen. Al in kleine hoeveelheden kan de werking onvoorspelbaar zijn. Op dieren heeft het een verdovende werking, maar mensen reageren er heel verschillend op.
Nadelen: gebruiker is ongevoelig voor pijn en wordt robotachtig in z'n bewegingen.

Peyote
De werkzame stof van deze cactus is mescaline. Na 1919 werd het ook synthetisch vervaardigd. Het is een natuurlijk tripmiddel. Mescaline werd begin van de vorige eeuw gebruikt bij de behandeling van alcoholisme, *psychoses* en *neurosen*. De uitwerking doet denken aan LSD, maar dan in een mildere vorm.
Nadelen: je kunt er snel afhankelijk van raken.

Quat
Is een plant die natuurlijke amfetamines bevat (zie Amfetamines). Het bruikbare deel is de schors, waarop gekauwd wordt. Het verdrijft de slaap.
Nadelen: je kunt er achterdochtig van worden. Krijgt er slechte tanden van en valt ongewild veel af.

Tranquillizers
Is een verzamelnaam voor (pijnstillende) kalmeringsmiddelen. Opvallend genoeg was het de meest voorgeschreven drug van het Westen. Ze hebben een kalmerende uitwerking.
Nadelen: Lusteloos voelen, afhankelijkheid. Een overdosis (soms opzettelijk) kan tot de dood leiden.

In het uitgaansleven is XTC als drug populair.

XTC, Ecxtasy
Een in het laboratorium gemaakte drug maar met een natuurlijke oorsprong. Het werkzame stofje (methyleendioxymethamfetamine) zit ook in nootmuskaat en sassafrasolie (sassafras is een plant). Het middel MDMA werd rond 1960 door de Amerikaanse politie ingezet om mensen de waarheid te laten spreken. Ook werd het in Duitsland gebruikt om mensen die onbeheerst toegaven aan vreetbuiten in te tomen. Ongeveer tien jaar later gebruikten de Amerikanen het weer voor psychotherapeutische sessies. Misschien omdat deze drug aanvankelijk alleen maar positieve effecten leek te hebben. Het wordt ook wel de lovedrug (liefdesdrug) genoemd. Omdat de gebruiker zich in het bijzijn van andere mensen erg prettig voelt. Het heeft na inname niet direct effect op de hersenen.
Nadelen; bij regelmatig gebruik chronische verkoudheid. Verminderde eetlust en een deprimerende nawerking.

Tegenwoordig heb je ook smartproducts. De verkoop hiervan is legaal. Dat betekent dat ze onder de Warenwet vallen. Ze worden dus beschouwd als levensmiddelen die geen gevaar zijn voor de volksgezondheid. Smartproducts worden, zonder recept, in Smartshops verkocht. Een Smartshop is net zoiets als de coffeeshop waar softdrugs worden verkocht. Ze verkopen vaak ook ecodrugs. Dit zijn producten met een natuurlijke herkomst. Het gaat bijvoorbeeld om planten, kruiden of zaden waarvan de uitwerking soms al eeuwenlang bekend is.

Een ecodrug is een natuurlijk, niet-samengesteld product. Dat is bij smartproducts vaak niet het geval. Sommige smartproducts zijn chemisch samengesteld. Anderen zijn een combinatie van een natuurlijk product en een chemisch stofje. Smartproduct en ecodrugs bevatten soms stoffen waarvan nog niet precies bekend is hoe ze werken. Daarom zijn de risico's ook nog niet altijd bekend. Als de kennis over een bepaald product toeneemt, kan het gebeuren dat de verkoop van dat product verboden wordt. Of dat het product onder alleen onder streng wettelijk toezicht verkrijgbaar wordt.

Smart

Ook de smartproducts kennen zes verschillende uitwerkingen.
- Stimulerend
- Kalmerend
- Psycho-actief (je psychische functies worden geactiveerd)
- Lustopwekkend (afrodisiacum)
- Voedingssupplementen
- Kruidenmengsels

De stimulerende smartdrinks die te koop zijn, hebben vaak ephedra in zich, gecombineerd met bijvoorbeeld cafeïne. De kavakava zorgt weer voor een kalmerend effect. Onbewerkte (ongedroogde) paddo's eten kan ervoor zorgen dat de signalen van de buitenwereld anders dan normaal binnen komen. Je zenuwcellen krijgen dan prikkels op plekken in je hersens waar ze niet horen. Daardoor ga je plotseling heel nieuwe dingen ervaren. In lustopwekkende middelen zit vaak yohimbe. De bedoeling is dat je zin krijgt om te vrijen en bij het vrijen ook opgewondener raakt. Een probleempje bij deze middelen is dat je ze niet mag combineren met koffie, chocolade, kaas, bananen en wijn. Tja, probeer daar dan nog maar eens romantisch bij te blijven...

Voedingssupplementen heten ook smartnutrients. Dit zijn voedingsmiddelen waarin extra veel vitaminen, mineralen of amonizuren zitten. Eigenlijk hoef je die, als je gewoon gezond eet, niet te slikken. Maar bijvoorbeeld in de modellenwereld en in de sport wordt veel met voedingssupplementen gewerkt.
Voedingssupplementen die je gezond en sterk moeten houden, zijn eigenlijk van alle tijden. Vroeger waren ze vaak puur natuur, bijvoorbeeld kruidenmengsels. Al enkele tientallen jaren na Chr. werd door Dioscorides het 'Geneeskrachtig Kruidenboek' geschreven. Dit boek gold lange tijd als hét standaardwerk voor natuurgeneesartsen. Ongeveer 100 jaar na Chr. was het Galenus, die allerlei kruidenmengsels fabriceerde. Sommige mengsels bevatten meer dan 100 ingrediënten! Het werd daardoor steeds moeilijker om die kruidenmengsels zelf te maken. Het werd steeds meer het werk van specialisten: artsen en apothekers.

Over smart gesproken: je hebt tegenwoordig ook zogenaamde smartdrugs. Dat zijn geneesmiddelen die ontwikkeld zijn voor mensen met ziektes als Alzheimer, Parkinson en Korsakow. Ze mogen alleen door de arts voorgeschreven worden.Toch worden ze wel eens geslikt voor andere doeleinden. Er wordt van gedacht dat ze het geheugen en concentratievermogen verbeteren. Het is heel goed denkbaar dat er in de nabije toekomst wel degelijk middelen komen die 'goed' zijn voor 'iedereen'. Pillen waar je een betere werknemer of werkgever van wordt, een betere man of vrouw, een betere vader of moeder, een betere sporter, hobbyist of kunstenaar, en heel misschien wel een beter mens. Dat zou nog eens een doorbraak in de medische wetenschap zijn: een middel waarvan we allemaal slimmer worden.

Triptips

- Gebruik nooit tegen je zin drugs. Laat je niet overhalen. Bereid je voor en leef er naar toe.
- Je fysieke toestand en geestelijke situatie kan bepalend zijn voor het succes van een *trip* (zie woordenlijst).
- Gebruik alleen als je in goede gezondheid verkeert. Volg voedingsadviezen en gebruik vitamines. Neem een middel alleen als je je er klaar voor voelt.
- Vermijd negatieve invloeden uit de omgeving. Wat lelijk, akelig en eng is, wordt *vergroot*.
- Zoek een veilige, warme maar niet benauwde plek, waar je alles ter beschikking hebt, niet gestoord kunt worden en waar het rustig is.
- Zorg er ook voor dat er alleen gelijkgestemden aanwezig zijn. Eventueel blijft er één vrijwilliger 'nuchter', die kan de boel in de gaten houden.
- Zorg er ook voor dat je na afloop geen verplichtingen hebt.
- **En een gratis tip van ons: doe het niet!**

5. Afkicken

Er zijn veel redenen te noemen om met drugs te beginnen. Misschien doe je het omdat je ergens bij wilt horen. Of misschien ben je nieuwsgierig naar de smaak en het effect en ga je ermee experimenteren. Je kunt ook een sigaret of een glas bier nemen, omdat het gezellig lijkt. Samen met anderen drugs gebruiken klinkt ook een stuk gezelliger. Vaak is het gevaar daarvan wel dat je meer neemt dan je van plan was.

Ontkenning

Maar op het moment dat je drugs inneemt om daarmee je problemen te ontlopen, moeten er eigenlijk alarmbellen afgaan. Want drugsgebruik levert juist problemen op. Het grootste probleem is: hoe kom je er weer van af?

Niemand wil graag afhankelijk zijn van een verslavend middel. Het is rampzalig om ergens zo verslaafd aan te zijn dat het je leven beheerst. In feite is een verslaving een chronische aandoening. Doordat je langdurig een dagelijkse portie van iets inneemt, beïnvloed je je hersens. Daarom is *afkicken* meer dan alleen van het middel afraken.

Veel mensen ontkennen hun verslaving. Om met iets te willen stoppen, moet je eerst erkennen dat je eraan verslaafd bent. Je omgeving kan ook signalen opvangen van je verslaving. Bijvoorbeeld een abnormale eetlust of extreem gewichtsverlies. Schoolprestaties die achteruit gaan. Een vreemde blik in de ogen. Veel pepermuntjes eten om de rookgeur te verhullen. Allemaal manieren om geen antwoord te hoeven hebben op de vraag naar je verslavingsgedrag. De hang naar de verslavende stof kan levenslang blijven bestaan. Dit maakt dat sommige drugsverslavingen moeilijk behandelbaar zijn.

Het heeft vaak pas zin om te helpen als ook het achterliggende probleem wordt aangepakt. Veel afkickcentra doen daarom aan therapie. Een afkickcentrum is een speciale kliniek waar mensen geholpen worden om van hun verslaving af te komen. Er zijn overheids- en privé-klinieken. Sommige behandelen maar één verslavingssoort. Daar kunnen verschillende soorten therapie op worden losgelaten. Want geen afkickproces is hetzelfde. De enige overeenkomst is dat geprobeerd wordt om de verslaving te overwinnen. Hoe langer je verslaafd bent, hoe moeilijker het vaak is van dat middel af te komen.

Hulpverlening
Na 1970 werd het duidelijk dat het gebruik van heroïne voor grote problemen zorgde bij verslaafden. Er werd het middel methadon aan ze gegeven, dat hen hielp om te kunnen *afkicken*. Het zorgde ervoor dat verslaafden wat minder last hadden van narc afkickverschijnselen. Symptomen als beven, snotteren, braken, paniekaanvallen, zweten en koorts zijn bij het *afkicken* niet ongewoon. Dit noemt men ontwenningsverschijnselen. Methadon wordt daarom nog steeds verstrekt. Het is voor hulpverleners ook een manier om contact te kunnen onderhouden met verslaafden.
Vanaf de jaren 90 (van de vorige eeuw) is er een breed pakket van hulpverlening voor verslaafden. Ze worden niet alleen als cliënten maar in veel gevallen ook als patiënten gezien. Daarom wordt in de meeste afkickcentra ook psychosociale hulp aangeboden. Dat wil zeggen dat je ook leert er in je hoofd anders mee om te gaan. Vaak vraagt het *afkicken* om enorme aanpassing in het leven van verslaafden. Zolang iemand verslaafd is, draait zijn hele leven om drugs. Heel veel van wat hij of zij doet, heeft ermee te maken. Als het gebruik van drugs wegvalt, is er een lege plek. Therapie helpt deze mensen de leegte zo goed en zo kwaad als kan op te vullen. Ook wordt er hulp geboden op financieel gebied en wordt er geholpen om weer een plek terug te vinden in de maatschappij. Soms krijgen verslaafden een middel dat ervoor zorgt dat de interesse in het genotmiddel verdwijnt. Daarmee moet voorkomen

worden dat ze weer terugvallen in hun oude gedrag, bijvoorbeeld op momenten dat er iets gebeurt waardoor ze weer aan drugs moeten denken. Want vaak krijgen ex-gebruikers, zodra ze maar iets zien dat ze aan drugs herinnert, opnieuw behoefte aan die drug. Dus geestelijke ontwenningsverschijnselen zijn er ook. Er wordt met therapie gekeken waarom iemand verslaafd is geraakt en wat daaraan gedaan kan worden.

De verslavingszorg heeft zich ook steeds meer moeten specialiseren en professionaliseren. Er zijn tal van instanties die hulp verlenen aan mensen die problemen hebben met het gebruik van middelen. Je kunt bijvoorbeeld lotgenoten ontmoeten. Er zijn steungroepen die de ex-verslaafde op weg helpen. Verder zijn er ook bijeenkomsten voor familieleden van de ex-verslaafde. Want zon-

Eenmaal verslaafd beginnen de problemen pas echt en is het een gevecht om weer clean te worden.

der hulp van je omgeving wordt het nog moeilijker beter te worden. Beter wil dan zeggen: completer. Iemand die zich goed voelt, is beter in staat om al zijn eigen talenten en capaciteiten te benutten dan iemand die neerslachtig is.

Zo bezien is het eigenlijk de beste weg nergens verslaafd aan te raken. En als je al aan drugs begint, weet dan goed wat je doet. Weet waar de gevaren schuilen. Bij sommige middelen bestaat de kans dat je gaat *flippen*. Dat je er helemaal van in de war raakt, omdat je de omgeving gaat wantrouwen. Dat het avondje experimenteren met je vrienden uitmondt in een opgefokte avond waarbij je je de hele tijd achtervolgd waant.
Steeds vaker gebruiken jonge mensen, kinderen zelfs, veel te veel alcohol. Ze slaan liters drank achterover om stoer te doen. Het kan als gevolg hebben dat je in coma raakt. Je hebt dan direct medische hulp nodig. Hopelijk is die voorhanden!
Dan heb je nog mensen die verschillende middelen door elkaar gebruiken. Of, omdat het effect niet direct voelbaar is, een middel te lang blijven innemen. In beide gevallen vaak met een verwoestende uitwerking.

Lange, zware straf
Je kunt door drugs ook roemloos ten ondergaan. Bijvoorbeeld als je in het buitenland wordt opgepakt wegens drugssmokkel en je straf daar moet uitzitten. In het buitenland worden drugsvergrijpen zwaar gestraft. Omdat je in het buitenland bent, val je niet onder de Nederlandse rechtsspraak. Dat wil zeggen dat je gestraft wordt volgens de wet van het land waar je wordt gepakt.
De hoogste straf die Nederland oplegt voor drugssmokkel is twaalf jaar. Vergelijk dat met de strafmaat van andere landen, die soms gevangenisstraffen opleggen van méér dan twintig jaar, en zelfs levenslang of de doodstraf! Veel landen buiten Europa hebben heel andere ideeën over mensenrechten dan wij in Nederland. In het buitenland gaat men er bovendien vaak vanuit dat je schuldig bent, tot je kan bewijzen dat je onschuldig bent. Meestal ga je

direct de cel in. Een cel die je deelt met veel andere celgenoten. Dat zijn niet alleen met mensen, maar ook ratten en kakkerlakken of ander ziekteverspreidend ongedierte. In een enkel geval is het mogelijk om je straf in Nederland uit te zitten. Ook binnen Europa kent men zware straffen voor drugssmokkel. Nogmaals, de strafmaat in het buitenland is bijna altijd hoger dan voor hetzelfde vergrijp in Nederland wordt opgelegd. Ook als je in Europa gepakt wordt met drugs, is het lang niet altijd mogelijk je straf in Nederland uit te zitten. Als uitlevering niet mogelijk is, zit je een lange, zware straf uit. Geen leuk vooruitzicht; zitten in het gevang waar Nederlands niet de voertaal is. Sterker nog: het is een vooruitzicht waar je beter NEE tegen kan zeggen.

De puurste vorm van stoppen met een verslaving is de *Cold Turkey*-methode. Het is de oudste en goedkoopste manier om van een verslaving af te raken, want je stopt van de ene op de andere dag. De lichamelijke reacties zijn misselijkheid, hoofdpijn, bibberen en kippenvel. Naar dat laatste verwijst de naam (Engelse betekenis: koude kalkoen).
Soms kunnen deze ontwenningsverschijnselen zo gevaarlijk zijn, dat een geleidelijke manier van *afkicken* gebruikt moet worden. Nog geen vijf procent van de mensen die met de *Cold Turkey*-methode stoppen met roken, houden dat ook daadwerkelijk vol. Het is dus de vraag of de methode succesvol genoemd kan worden...

Verklarende woordenlijst

Afkicken	Van de drugs af raken
Bad trip	Negatieve uitwerking van ingenomen drug
Blowen	Een sigaret met cannabis er in roken
Clean	Geen drugs (meer) gebruiken, dan ben je dus drugsvrij
Cold Turkey	Betekent letterlijk; koude kalkoen en is de benaming van de fysieke reactie op het plotseling moeten afkicken van verdovende middelen
Cultus	Beschaving, verering, aanbidding
Dealer	Iemand die drugs verkoopt
Desinfecterend	Spullen (zoals naalden) die ontsmet zijn
Drooglegging	De verkoop van alcoholische dranken verbieden
Drugscircuit	Een (gesloten) groep van drugshandel
Drugscene	Groepering waar drugs het uitgangspunt is/wordt
Drugsvete	Een ruzie waarbij drugs de aanleiding vormt
Flippen	Een negatieve manier van stoned raken
Hallucinogene	Hallucinerende
Hasj	Hars van cannabisplant
Joint	Een sigaret met cannabis er in
Junkie	Een drugsverslaafde
Laxerend	Alles wat de stoelgang bevorderd
Multiple sclerose	Verlammingsziekte
Neurose	Een stoornis in de werking van het zenuwstelsel
Psychose	Een storing in de psychische functies
Rage	Iets dat (even) heel modieus is om te doen of te hebben

Scoren	Manieren zoeken om aan drugs te komen
Shot	Innemen van drugs per spuit
Spiritueel	Ervaringen die geestverrijkend (kunnen) zijn
Stamritueel	Een traditie of plechtigheid eigen aan een stam
Stickie	Een sigaret met cannabis er in
Stoned	Het effect van drugs na inname
Trance	Een toestand waarin met behulp van drugs of hypnose je bewustzijn wijzigt
Trippen	De uitwerking van drugs met hallucinogene werking
Visioen	Waanvoorstelling
Wiet/weed	De kroon van de vrouwelijke cannabisplant

Sites en boeken over drugsverslaving

INTERNET-SITES

www.jellinek.nl
Informatieve site over drugs

www.trimbos.nl
Meest complete site over drugs

www.druglijn.be
Voor vragen over drank, drugs en pillen

www.vad.be
Belgische vereniging voor alcohol en andere drugsproblemen

www.drugsinfo.nl
Te bestellen informatie en materiaal over softdrugs, alcohol,
tabak, XTC en gokken

www.alcoholvoorlichting.nl
Voorlichting over alcohol

www.verslaafd.info
Op deze site is veel informatie te vinden over onderwerpen met
betrekking tot verslavingszorg

BOEKEN:

Afblijven (1998) van Carry Slee
Melissa springt een gat in de lucht als haar gevraagd wordt mee te dansen in een videoclip. Jordi, die al jarenlang veel met Melissa optrekt, is ook razend enthousiast. Melissa kan zo keigoed dansen dat ze vast en zeker ontdekt wordt. Maar al snel blijkt dat het niet goed gaat met Melissa. Om haar onzekerheid te verbergen en beter te kunnen dansen, slikt ze pillen. En dat worden er steeds meer. Haar vrienden staan machteloos. Wat kunnen ze doen om Melissa te helpen?

Coke (2005) van Ad Fransen
Jarenlang was journalist Ad Fransen verslaafd aan cocaïne. In dit boek beschrijft Fransen niet alleen zijn eigen verslaving, maar ook de geschiedenis van het gebruik van cocaïne. Zo kom je te weten dat er sprake is van drie cocaïnehausses: rond 1880, 1920 en eind jaren zeventig. Ook leer je dat Nederland na de Tweede Wereldoorlog een voorloper was in het produceren van cocaïne (dankzij Nederlands Indië) en zelfs een heuse cocaïnefabriek had! Naast al deze interessante weetjes vertelt Fransen in 'Coke' over zijn eigen verslaving: hoe hij ermee begonnen is, wat zijn hoogte- en dieptepunten waren en hoe hij uiteindelijk is gestopt.

Het begon met blowtje (2007) van Hélène
Hélène is twaalf jaar oud, een gevoelige, eenzame tiener die als zoveel jongeren bang is voor de harde wereld van de volwassenen om haar heen. Ze drinkt thuis stiekem alcohol en rookt haar eerste *stickie*. Al snel volgen andere soorten drugs. Ten slotte schakelt ze over op heroïne. Hélène wordt een *junkie*. Ze loopt weg van huis en gaat niet meer naar school. Vrienden en bekenden overlijden de een na de ander aan een overdosis. Elke dag moet ze een zwaar gevecht leveren om te *scoren*. Tot ze probeert zelfmoord te plegen.

Op haar achttiende, na zes verloren jaren, besluit Hélène voorgoed af te kicken.

Eline Vere – Een Haagse roman (1889) van Louis Couperus
Eline is een jonge, huwbare vrouw van 23 jaar met talenkennis en zangtalent. Haar Haagse omgeving probeert haar aan de man te krijgen. Ze heeft alles in zich om tevreden en gelukkig te zijn, maar het tegendeel is waar. Ze heeft een zwakke wil, is besluiteloos en leest alleen maar romannetjes. Fantasie en werkelijkheid gaan door elkaar heen lopen, waardoor haar beeld van het echte leven vertroebelt. Door allerlei omstandigheden gaat het lichamelijk en geestelijk snel bergafwaarts met haar. In een dwaze en depressieve bui neemt Eline een overdosis morfine, waarna ze sterft.

Drugs van Janine Amos
Corona, 2006 (Tieners en.....) ISBN 9789054957843

Drugs en medicijnen van Sarah Levete
Corona, 2006 (Wat je moet weten over...) ISBN 9055661341

Drugmisbruik van Emma Houghton
Corona, 2006 (Standpunt) ISBN 9789055661565

Bronnen voor dit boekje:

Drugs van Andrea Claire Harte
Biblion Uitgeverij, 2003 (In het nieuws). ISBN 9054834730

Uit je bol van Gerben Hellinga en Hans Plomp
Prometheus, 9^e druk, 2005. ISBN 9044605062

Reeds verschenen
in de WWW-reeks:

Deel 30 Formule 1
Ton Vingerhoets
ISBN 978-90-8660-024-3
NOG NIET VERSCHENEN!

Deel 31 Vuurwerk
Ton Vingerhoets
ISBN 978-90-8660-025-0

Deel 32 Graffiti
Nora Iburg
ISBN 978-90-8660-026-7
NOG NIET VERSCHENEN!

Deel 33 Vietnam-oorlog
Ton Vingerhoets
ISBN 978-90-8660-044-1

Deel 34 Kleurenblindheid
Carla Gielens
ISBN 978-90-8660-045-8
NOG NIET VERSCHENEN!

Deel 35 Artsen Zonder
Grenzen
Pauline Wesselink
ISBN 978-90-8660-046-5

Deel 36 Loverboys
Yono Severs
ISBN 978-90-8660-047-2

Deel 37 t/m 42 nog niet verschenen

Deel 43 Drugsverslaving
M. Gay-Balmaz en
M. Kooiman
ISBN 978-90-8660-075-5

Deel 44 Kinderarbeid
M. Kooiman en
M. Gay-Balmaz
ISBN 978-90-8660-076-2

Deel 45 Greenpeace
Rudy Schreijnders
ISBN 978-90-8660-087-8

WWW-TERRA

Deel 1 Indonesië
Saskia Rossi
ISBN 978-90-8660-009-0

Deel 2 Tibet
Esther Nederlof
ISBN 978-90-8660-010-6

Deel 3 Oostenrijk
Yono Severs
ISBN 978-90-8660-011-3

Deel 4 Friesland
Yono Severs
ISBN 978-90-8660-012-0

Deel 5 Canada
Pauline Wesselink
ISBN 978-90-8660-013-7

Deel 6 Suriname
Pauline Wesselink
ISBN 978-90-8660-027-4

Deel 7 Thailand
Yono Severs
ISBN 978-90-8660-028-1
NOG NIET VERSCHENEN!

Deel 8 Turkije
Yono Severs
ISBN 978-90-8660-029-8
NOG NIET VERSCHENEN!

Deel 9 De Wadden
Yono Severs
ISBN 978-90-8660-030-4

WWW-BEROEPEN

Deel 1A Werken in de sport:
Topsport
Esther Nederlof
ISBN 90-76968-69-1

Deel 1B Werken in de sport:
Recreatiesport
Petra Verkaik
ISBN 978-90-8660-018-2

Deel 2 De kraamverzorging
Carla Gielens
ISBN 90-76968-49-7

Deel 3 De kapster/kapper
Yono Severs
ISBN 90-76968-91-8

Deel 4 nog niet verschenen

Deel 5: Werken in de dierentuin
Suzanne Peters
ISBN 978-90-8660-040-3

**WWW-SPORT,
SPEL & DANS**

Deel 1 Skateboarden
Dolores Brouwer
ISBN 978-90-8660-039-7

Deel 2 De geschiedenis van
de Olympische Spelen
Saskia Rossi
ISBN 978-90-8660-061-8